C000301357

▼ Les Histoires du Père Castor ▼

Qu'elles soient nées dans l'esprit fécond d'un auteur ou venues du fond des âges et de pays lointains, les histoires transmettent une culture, une tradition, elles parlent de nous. Comprendre, accepter les autres, mieux se connaître, se laisser porter par la magie des mots et des images : c'est tout cela que les Histoires du Père Castor offrent.

Depuis 1931, le Père Castor propose de merveilleuses histoires illustrées, et crée les classiques de la littérature pour enfants, d'hier et d'aujourd'hui. Nous perpétuons cette tradition avec les talents d'auteurs de mots et d'images pour le plaisir toujours renouvelé du partage de la lecture...

roule galette

Dépôt légal : mars 2018
ISBN : 978-2-0814-3043-3
Imprimé en République Tchèque par PB Tisk – décembre 2018
Éditions Flammarion (L.01EJDN001518.A002) – 87, quai Panhard-et-Levassor, 75647 Paris Cedex 13
Loi n° 49-956 du 16 juillet 1949 sur les publications destinées à la jeunessex

roule galette

Raconté par Natha Caputo
Imagé par Pierre Belvès

PÈRE CASTOR

DANS une petite maison, tout près de la forêt, vivaient un vieux et une vieille.

Un jour le vieux dit à la vieille :

— J'aimerais bien manger une galette...

— Je pourrais t'en faire une, répond la vieille, si seulement j'avais de la farine.

— On va bien en trouver un peu, dit le vieux : Monte au grenier, balaie le plancher,

tu trouveras sûrement des grains de blé.

— C'est une idée, dit la vieille, qui monte au grenier, balaie le plancher et ramasse les grains de blé.
Avec les grains de blé elle fait de la farine;

avec la farine elle fait une galette
et puis elle met la galette cuire au four.

Et voilà la galette cuite. « Elle est trop chaude ! crie le vieux. Il faut la mettre à refroidir ! »

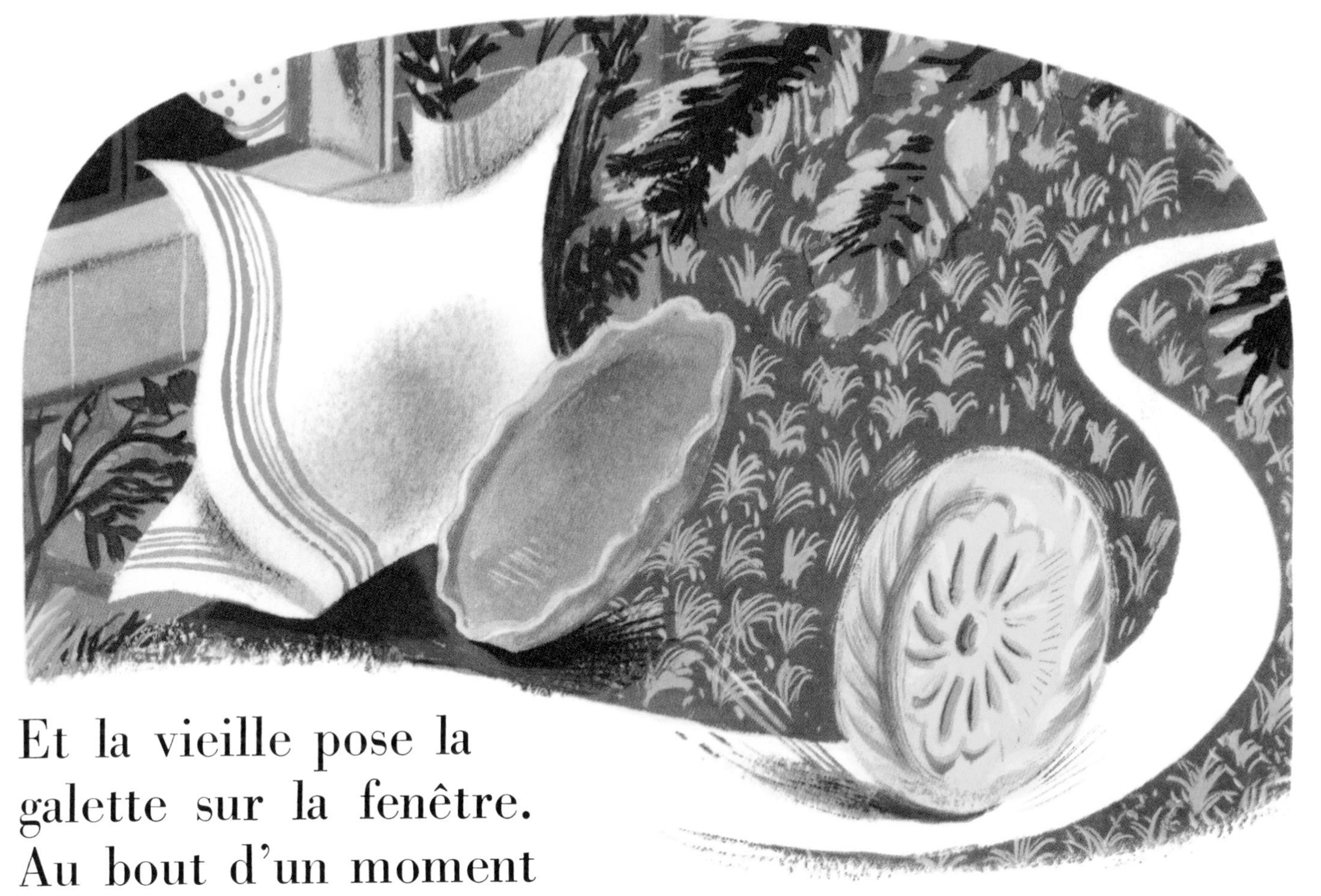

Et la vieille pose la
galette sur la fenêtre.
Au bout d'un moment
la galette commence à s'ennuyer. Tout doucement
elle se laisse glisser du rebord de la fenêtre,
tombe dans le jardin et continue son chemin.
Elle roule, elle roule toujours plus loin...

et voilà qu'elle rencontre un lapin.

— Galette, galette, je vais te manger, crie le lapin.

— Non, dit la galette, écoute plutôt ma petite chanson.

Et le lapin dresse ses longues oreilles.

Je suis la galette, la galette,
Je suis faite avec le blé ramassé dans le grenier.
On m'a mise à refroidir,
Mais j'ai mieux aimé courir !

Attrape-moi si tu peux!
Et elle se sauve si vite, si vite

qu'elle disparaît dans la forêt.
Elle roule, elle roule dans le sentier,

et voilà qu'elle rencontre le loup gris.
— Galette, galette, je vais te manger, dit le loup.
— Non, non, dit la galette ;
écoute plutôt ma petite chanson.

Je suis la galette, la galette,
Je suis faite avec le blé ramassé dans le grenier.
On m'a mise à refroidir,
Mais j'ai mieux aimé courir !

Attrape-moi si tu peux !
Et elle se sauve si vite, si vite

que le loup ne peut la rattraper. Elle court,
elle court dans la forêt et voilà qu'elle rencontre

un gros OURS.

— Galette, galette, je vais te manger,
grogne l'ours de sa grosse voix.
— Non, non, dit la galette ; écoute plutôt ma chanson !

Je suis la galette, la galette,
Je suis faite avec le blé ramassé dans le grenier.
On m'a mise à refroidir, mais j'ai mieux aimé courir !

Attrape-moi si tu peux !
Et elle se sauve si vite, si vite

que l'ours ne peut la retenir.
Elle roule, elle roule encore plus loin

et voilà qu'elle rencontre le renard.

— Bonjour, galette, dit le malin renard. Comme tu es ronde, comme tu es blonde !

La galette, toute fière, chante sa petite chanson, et pendant ce temps, le renard se rapproche, se rapproche, et quand il est tout près, tout près,

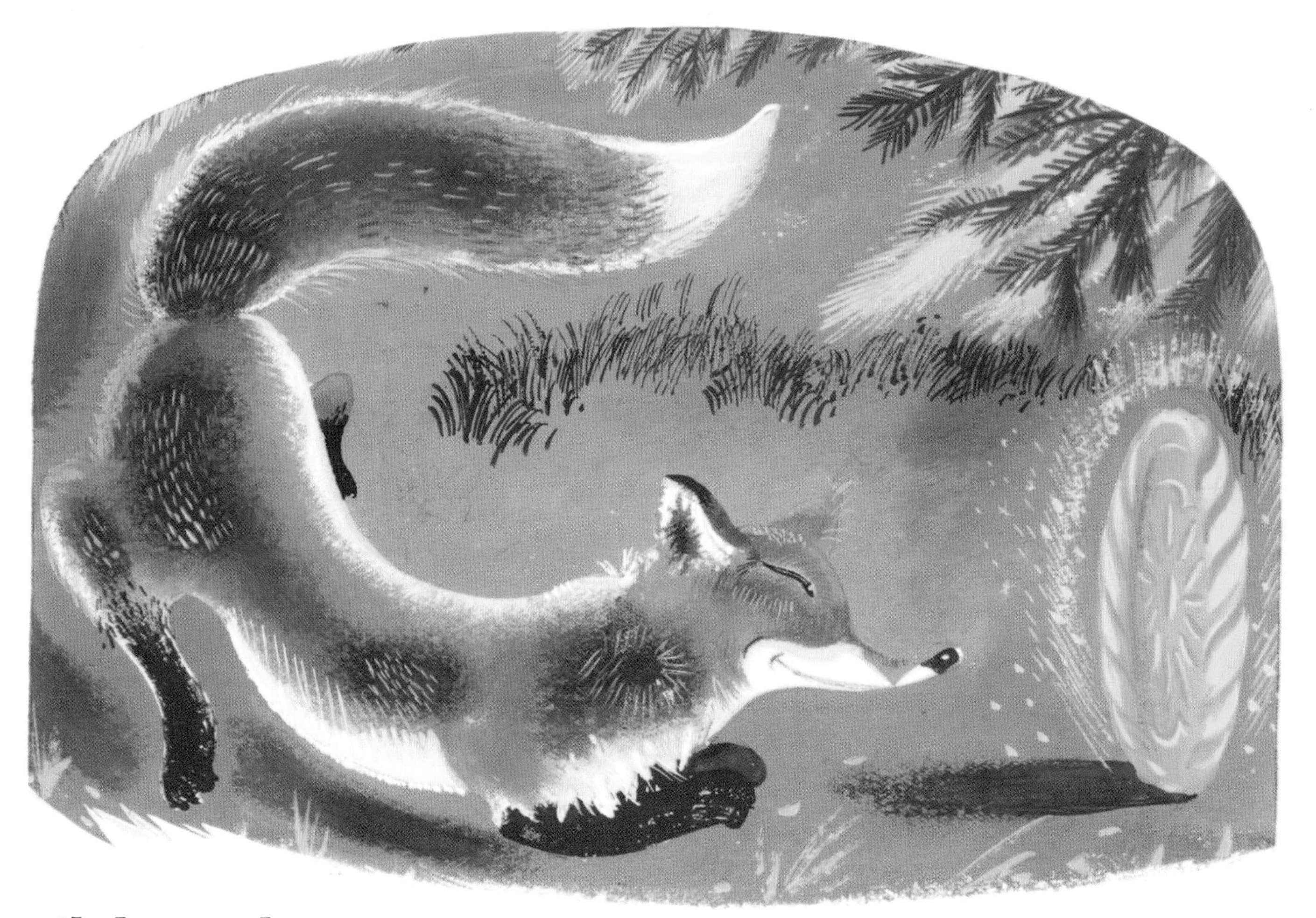

il demande :

— Qu'est-ce que tu chantes, galette ?
Je suis vieux, je suis sourd, je voudrais bien t'entendre.
Qu'est-ce que tu chantes ?

Pour mieux se faire entendre, la galette saute sur le nez du renard, et de sa petite voix elle commence :

Je suis la galette, la galette,
Je suis faite avec le...

Mais, HAM !... le renard l'avait mangée.

Vous avez aimé cette histoire ?
Découvrez également…

▼ Dans la même collection ▼

n° 11 | La Plus Mignonne des Petites Souris

n° 14 | Le Petit Bonhomme de pain d'épice

n° 19 | La Grande Panthère noire

n° 32 | Tom Pouce

n° 48 | Un bon tour de Renart

n° 51 | Hansel et Gretel

n° 54 | La Chèvre de Monsieur Seguin

n° 58 | L'Ours et les trolls de la montagne

n° 61 | Le petit loup qui se prenait pour un grand

▼ Dans la même collection ▼

n° 65 | Épaminondas

n° 79 | Bravo Tortue

n° 81 | Le Démon de la vague

n° 94 | Raiponce

n° 97 | La Plume du caneton

n° 104 | Le Joueur de flûte de Hamelin

n° 105 | Histoire de la lettre...

n° 106 | Un gâteau 100 fois bon

n° 118 | Petite Poule noire comme nuit